El día en el que aprendí
a domar arañas

El día en el que aprendí a domar arañas ha sido distinguido con los siguientes premios literarios:

- *Premio Alemán al Libro Infantil 2001*
- *Premio Austriaco al mejor libro infantil del mes de Enero 2001*
- *Premio Luchs del año 2000* (concedido por *Radio Bremen* y el semanario *Die Zeit*)

Colección dirigida por Maribel G. Martínez

Diseño de cubierta: Artur Heras
Dibujo de cubierta: Dieter Wiesmüller

2ª edición, febrero de 2006

© Carl Hanser Verlag München Wien 2000
© para España y el español: Lóguez Ediciones 2001
Ctra. de Madrid, 90. Apdo. 1. Teléf. 923 13 85 41
37900 Santa Marta de Tormes (Salamanca)
ISBN: 84-89804-37-0
Depósito legal: S. 234 - 2006
Printed in Spain
Gráficas VARONA. Polígono "El Montalvo", parcela 49
37008 Salamanca

Jutta Richter

El día en el que aprendí a domar arañas

Traducido del alemán por
L. Rodríguez López

Lóguez

Para mi madre, de quien aprendí
a acordarme.
Para mi padre, que sigue recordando las
historias de forma diferente.
Para Herbert y todos aquellos que creen
que pueden perder la vida mientras duermen.
Y muy especialmente para Lena,
la buscadora de tesoros.

Hamburgo, uno de enero de 2000

Se llamaba Rainer y vivía en el piso bajo nosotros.

Lo llamábamos el dackel rastreador. Así era. Un aguafiestas. Un flojo. Un absoluto perro retorcido.

Siempre acercándose sigilosamente. Siempre olisqueando. Siempre queriendo participar en los juegos.

Eso, un dackel rastreador.

Y qué manos tenía. Absolutamente ásperas y escabrosas, como las garras de un periquito. Con abultados y sanguinolentos nudillos y uñas mordidas.

Y se hurgaba en la nariz, allí por donde iba y estaba. Y se metía los cocos en la boca y se los comía. Le era totalmente indiferente si alguien lo estaba mirando.

Nosotros éramos cuatro. Hansi Pfeifer, Martina Thiemann, Michael Franke y yo.

Y todos vivíamos en el Burgweg. Al lado del viaducto. Cuando los trenes pasaban por él, en nuestra casa tintineaban los vasos en el armario de la cocina y mi padre decía el de las 16,04 lleva hoy retraso o ése fue el de las 19,26 y ni siquiera miraba el reloj.

Mi padre se conocía de memoria el horario de trenes.

Hansi Pfeifer tenía una guía con el horario de trenes.

Un sendero conducía desde la calle hasta la mitad de lo alto del terraplén del tren y después continuaba bajo el primer arco del viaducto. Y allí se encontraba la escarpada plataforma, justo lo suficientemente ancha para poder sentarse, con la espalda apretada fuertemente contra las frías, húmedas piedras. Allí nos sentábamos por las tardes y esperábamos a que sucediera algo.

Los trenes pasaban por encima de nosotros y, por debajo, los camiones de la granja del tío Arnold.

Cuando venía un camión, le arrojábamos guijos sobre la superficie de carga. Entonces, los conductores paraban y maldecían y miraban a ver qué había sucedido. Y nosotros nos pegábamos al suelo y conteníamos la respiración. Nunca sucedía nada más.

Martina Thiemann fue la primera en llamarlo dackel rastreador.

"¿Sabéis cómo anda ése? Anda como un dackel", se rió. "¡Como un dackel rastreador!".

Era cierto. Metía los pies y tenía unas piernas totalmente arqueadas.

"¡Es verdad, como un dackel rastreador!", asintió Hansi Pfeifer. "Tiene que tener cuidado no vaya a dar con el morro contra el suelo".

Sobre nosotros, pasó el de las 16,58.

En la perrera, aullaron los perros.

"Ésos aúllan de aburrimiento", decía siempre mi padre. "Son animales, no conocen la nostalgia".

Y durante mucho tiempo, no estuve segura de si debía creerlo o no.

De pronto, apareció. Estaba delante de nosotros y removía la tierra con el pie. Tenía una gruesa piedra en la mano.

"¡Ven aquí, cuatroojos!", le dijo a Hansi Pfeifer. "¡Vamos a ver quién es el que va a dar con el morro contra el suelo!".

Hansi Pfeifer lo miró fijamente. Sus ojos, detrás de los gruesos cristales de las gafas, eran siempre lo más grande en su cara. Pero ahora, aumentados por el temor, se volvieron todavía más grandes.

Michael Franke quiso saltar. Pero no era posible entre el arco del muro y la pendiente hacia la calle. Y el dackel rastreador seguía inmóvil, blanco en la cara como la cal, ojos negros de furia, los labios apretados fuertemente formando sólo una fina línea... Y levantó la mano con la piedra...

❖

Sin embargo, entonces todo había comenzado de forma muy diferente.

Había comenzado cuando el verano todavía era nuevo y verde claro e interminable.

Había comenzado en el edificio, en nuestro sótano, donde vivía la gata del sótano.

La gata del sótano tenía ojos incandescentes y era tan grande como una pantera.

Se sentaba en la parte de atrás del sótano, sobre el viejo dosel de cama, junto a las cajas de cerveza de papá. Y siempre estaba sentada allí.

Los mayores decían: "¡No seas ingenua!". O: "¡Tú y tu fantasía!".

Mi abuela opinaba que eso me venía de tanto leer: "La niña terminará echándose a perder la vista".

Y mi padre se reía y decía: "Pelos enrevesados, cabeza enrevesada".

Pero la gata del sótano estaba sobre el viejo dosel y me miraba con sus ojos incandescentes cuando yo tenía que bajar a buscar dos botellas de cerveza.

Nadie, excepto yo, podía verla y, sin embargo, estaba allí.

Y yo tenía miedo y no quería bajar más al sótano y mi madre dijo que yo era demasiado vaga, cómoda y vaga.

"La niña ni siquiera quiere ir a buscar patatas. Es un desastre".

"¡Acompáñame, por favor", le rogué. "Sólo una vez".

"Está bien", dijo mi madre, "aunque de nuevo tengo que ir yo cuando es tu obligación..."

Pero me acompañó. Iba delante de mí, abrió la puerta de hierro, detrás de la cual una pronunciada escalera conducía hacia abajo, y dio la luz. La bombilla, con la malla metálica alrededor, alumbraba débilmente. Había demasiadas moscas muertas pegadas al cristal de la bombilla.

Mi madre me empujó hacia delante.

"Bien, ¿dónde está tu gata del sótano?", preguntó enfadada. "Enséñamela y pobre de ti como hayas mentido...".

Apreté los ojos. No quería mirar hacia donde estaba. Noté cómo mis manos se humedecían y mi corazón golpeba contra el zumbido de la bomba del hidropresor.

"¡Ahí!", dije y señalé hacia el viejo dosel de cama. "¡Se sienta siempre ahí!".

"¡Ahí no hay nadie!", dijo mi madre. "!Nada en absoluto!".

Dio tres pasos hacia delante. La gata del sótano bufó.

"¡Ten cuidado, mamá!", quise gritar, pero de mis labios no salió ningún sonido. Estaba como paralizada. Muda de horror.

La gata del sótano erizó la piel. De pronto, parecía el doble de grande. En comparación con ella, una pantera era una gatita de nada. Encorvó el lomo. Su rabo fustigaba amenazante de un lado a otro.

Mi madre se encontraba ahora exactamente delante de ella e hizo intención de golpear con la mano contra el dosel. Le hubiera dado a la gata del sótano si, de pronto, no se hubiera escuchado un "pfaff" y todo se volvió completamente oscuro.

Grité asustada porque temí que la gata del sótano saltara sobre mi madre. Entonces, toda ayuda hubiera llegado demasiado tarde. Jamás en la vida habría podido ayudar a mi madre. Yo no era más que una niña.

"¡No grites!", dijo mamá y me cogió de la mano. "Estate traquila, sólo han sido los plomos".

Y me condujo lentamente hacia arriba por la escalera del sótano, abrió la pesada puerta de hierro y, de nuevo, se hizo la claridad.

"Verdaderamente, eres una miedosa", dijo y me apretó contra ella. "No hay ninguna gata del sótano y nunca la habrá."

Pero eso no era cierto.

Existía el *poltergeist*. Existían fantasmas de noche, que vivían en el armario de la ropa. Existían brujas con joroba y verrugas como la viuda Wehbold, que refunfuñando se ponía en el seto del jardín y amenazaba con su bastón cuando yo practicaba con los patines por la tarde.

Incluso existía el diablo. Se llamaba señor Pohling y vivía en el Tilsiter Weg. Tenía extraños zapatos, abrochados muy arriba, y cojeaba y ocultaba sus cuernos bajo el sombrero de fieltro marrón de anchas alas.

Yo sabía lo que sabía y veía lo que veía. Y prefería ser una miedosa a dejarme devorar por la gata del sótano.

Todo habría quedado así para siempre si no hubiera sido porque Rainer se vino a vivir a nuestro edificio.

Rainer era algo mayor que yo y, en realidad, no quería saber nada de chicas tontas. Yo tenía suerte al no pertenecer todavía a las chicas tontas. Éstas eran, por lo menos, un año mayores, iban siempre de dos en dos y se reían por lo bajo.

"Qué, chica", dijo Rainer, cuando yo iba sin meter ruido por las escaleras con la cazuela de las patatas, "¿tienes miedo?" .

Tragué saliva y Rainer preguntó: "¿De qué?".

Y le hablé de la gata del sótano. Escuchó y no sonrió burlón. Ni siquiera agitó la cabeza. Escuchó atentamente y después asintió como si la gata del sótano viviera en la cocina de donde él venía.

"¿Quieres verla?", pregunté.

"Pues claro", dijo Rainer. Sacó el colt de juguete con la tira de fulminantes del citurón del pantalón y se puso a andar con las piernas algo arqueadas, como el sheriff en las películas del Oeste. Daba una impresión un tanto ridícula. Pero para mí, lo importante era que él iba delante.

Tenía la sensación de que él podía protegerme de la gata del sótano. Y yo sabía que ella estaba allí y nos esperaba.

Abrimos silenciosamente la pesada puerta de hierro y nos introdujimos, con la respiración contenida, por las escaleras hacia abajo. Me mantuve pegada detrás de Rainer, tan pegada que podía olerlo.

Olía a barro y a pradera y a galletas crujientes. Un poco agrio y un poco dulce y yo podía confiar en él.

"¡No te muevas!", susurró. "¡Allí está!".

Señaló con el colt de juguete en dirección al dosel de cama.

"¡Horrible! ¡Jamás he visto una tan grande! ¡Es la gata de sótano más grande del mundo!".

"¿Y ahora?", pregunté.

Rainer señaló hacia la ventana del sótano.

"Vete sin hacer ruido hacia ella y ábrela", me susurró. "¡Pero no pierdas de vista a la gata!".

Mi corazón dio un salto, casi que no me atrevo, pero lo miré y no quise ser una miedosa. Con cuidado, me moví hacia la ventana y tiré lentamente del pestillo hacia abajo. La gata del sótano se encontraba a no más de un metro de distancia de mí.

"Cuando dispare, tienes que gritar", me susurró Rainer. "Tan alto como puedas".

Oí cómo, con un clic, le quitaba el seguro al colt.

"¡Ahora!".

Y empezó a disparar y yo grité y grité y él disparaba.

Y la gata del sótano maulló furiosa y huyó en dirección a la ventana del sótano con el rabo erizado.

Se golpeó contra las rejas, resbaló, cogió carrera de nuevo y desapareció bufando hacia el patio.

"Bueno, ¡ya está!", dijo Rainer y sonrió. "¿Tienes miedo todavía, chica?".

"¿De qué?", respondí sonriendo.

"Eso", dijo Rainer. Y a partir de ahí, fuimos amigos.

Todo eso había sucedido cuando yo todavía era buscadora de tesoros y guardaba mis tesoros en un caja de puros. Cristales mágicos y calcomanías, caparazones de caracoles, plumas de paloma y los pequeños huevos azules moteados, que se habían caído del nido.

La caja de los tesoros era lo más valioso que yo poseía. Siempre la llevaba conmigo. Y si estaba triste, levantaba la tapadera, cogía un cristal mágico verde y lo mantenía contra la luz.

Brillaba como una esmeralda y el mundo nuevamente se volvía misterioso.

"Tú y tu montón de cristales", decía siempre mi padre. "¡Terminarás cortándote! ¡Tira esa porquería de una vez!".

Mi padre, ciertamente, conocía bien los horarios de los trenes, pero no entendía mucho de otras cosas.

Para él, un cristal era un cristal y un perro un perro. Los cristales no tenía ningún valor y eran peligrosos y los perros eran animales y no sentían nostalgia.

Por las tardes, cuando se ponía el sol, aparecía el gran fuego en el cielo y yo sabía que los ángeles estaban haciendo pastas de Navidad allí arriba, en el horno celestial.

Y cuando estaba silenciosa delante de la ventana y contemplaba el fuego, podía suceder que mis padres me olvidaran. Entonces me hacía invisible por un tiempo. Y ellos hablaban de cosas que yo no quería oír.

"Pobre chico", dijo mi madre. "Realmente, un niño así puede darte lástima. Él se abandona, la madre no se preocupa...".

"Cómo va a hacerlo", respondió mi padre. "Está borracha ya desde por la mañana. Es una vergüenza. No entiendo cómo esta clase de gente puede entrar a vivir aquí. En definitiva, ésta es una casa honrada".

"Pero el niño no tiene la culpa", dijo mi madre.

"Y yo digo que el chico debe de estar en un orfanato", dijo mi padre. "Por cierto, ¿cómo se llama?".

"Rainer", contesté y de nuevo me hice visible. "Y es mi amigo".

"¡A la cama!", ordenó mi madre. "¡Y no te olvides de rezar!".

Seguro que no me olvidaría, aunque ya entonces yo no sabía con exactitud quién era el más fuerte: Mi padre o el buen Dios.

La hermana Lioba había dicho en la guardería que el buen Dios era todopoderoso y eso significaría que no habría alguien más fuerte que el buen Dios.

"Sucede lo que Dios quiere".

En nuestra familia, era distinto. En nuestra casa, siempre sucedía lo que quería mi padre.

"Hay que llevar el perro a la perrera", había dicho. "No podemos llevarnos el perro a la nueva vivienda".

Y yo había rezado: "Querido Dios, no permitas que papá lleve a Raudi a la perrera". Una y otra vez, todas las noches: "Querido Dios, no permitas que papá lleve a Raudi a la perrera".

Pero el querido Dios no fue lo suficientemente fuerte para hacer cambiar de opinión a mi padre.

El querido Dios había perdido y Raudi estaba en la perrera y aullaba de nostalgia.

"Querido Dios", recé. "Querido Dios, haz que papá no lleve a Rainer al orfanato".

❖

Lo peor era siempre cuando me castigaban a no salir de casa.

Entonces, las palabras daban volteretas en mi cabeza, como las piezas de una torre de *legos* que se derrumba.

Entonces, me sentía totalmente sola y me quedaba acostada sobre la cama en mi habitación. Mi padre estaba en la oficina y mi madre en casa de la tía Ulli, "para desahogarse".

"¡Pobre de ti si sales!", me había dicho antes. "Sabes que me enteraré".

Sí, yo sabía que lo haría. Preguntaría a la señora Thiemann o a la señora Pfeifer.

Las persianas estaban bajadas y los rayos de sol se filtraban a través de las rendijas. Yo contemplaba las motas de polvo bailando en la luz del sol. Fuera, oía a los otros:

"Pescador, pescador, ¿cuánto cubre el agua?" y "¡Alemania le declara la guerra a Francia!".

El agua sería atravesada sin mí, la guerra se perdería sin mí. La voz más alta era la de Rainer: "¡Lo tengo!", exclamó y "¡mi país!", exclamó.

Habría hecho cualquier cosa para estar fuera, en la calle.

Sucedía que la calle nos pertenecía a nosotros, los niños.

En secreto, nos la habíamos repartido por sectores.

Desde el arbusto de lilas hasta el muro de Thiemann era el sector de la valla de cazadores. Pertenecía a Hansi Pfeifer, porque detrás de la valla, se encontraba la nueva casa de los padres de Hansi, con el amplio césped delante, que el padre de Hansi cortaba cada sábado en verano.

Desde el muro de Thiemann hasta la farola de Franke, la calle pertenecía a Michael Franke y Martina Thiemann. Ésta tenía ya casi nueve años y, en realidad, pertencía a las chicas tontas. En el garaje, junto a la casa, el padre de Martina vendía café Jacob y salchichón ahumado.

Siempre olía algo a moho cuando pasábamos por delante: A cartón humedo y a envases de plástico para el café.

Y nos horrorizábamos cada vez que el abuelo Thiemann salía con su bastón delante de la puerta de la casa. Sucedía que el abuelo Thiemann tenía un agujero en la calva. Un agujero de una esquirla de granada de una verdadera guerra.

Desde la farola de Franke hasta la puerta azul de nuestro bloque, la calle me pertenecía a mí. Allí, marcábamos en el asfalto con trozos de teja el campo de juego para "Pescador, pescador" y el círculo para "Guerra".

En la esquina vivía la señorita Fantini, la profesora de piano, pero ése ya había dejado de ser un sector nuestro, allí siempre se aporreaban las teclas a través de la ventana abierta y "Pescador, pescador, ¿cuánto cubre el agua?" sonaba demasiado alto para el fino oído de la señorita Fantini.

Estaba acostada sobre la cama, observando las danzarinas motas de polvo y oí cómo Rainer gritaba mi nombre. Me levanté, miré a través de las rendijas de las persianas y comprobé que se hallaba delante de la ventana.

"¡Ven fuera, chica!" exclamó. "Todavía necesitamos a una para jugar".

Me hice la muerta.

"Ésa tiene de nuevo prohibido salir", se burló Martina Thiemann, "ésa siempre tiene prohibido salir de casa".

"Eso no es cierto", dije y me callé, porque los muertos no pueden hablar. Bien seguro que yo no tenía más castigos prohibiéndome salir de casa que Martina Thiemann. Porque castigos a no salir de casa solamente había por llegar tarde y por leer a escondidas en la cama. Eso lo había hecho yo y, como a mi linterna se le habían gastado las pilas, había colocado una vela de navidad debajo de la cama.

Mi padre apagó el fuego con mi colcha y dijo: "¡Una semana sin salir!".

Hacerse la muerta era estúpidamente aburrido. Me acosté de nuevo en la cama y miré fijamente al techo.

De pronto, descubrí la araña.

Era, por lo menos, tan grande como mi mano y se deslizó lentamente a lo largo del techo de la habitación hasta quedarse inmóvil exactamente sobre mi cara. Quise gritar y no pude. Quise saltar de la cama y no pude. Y, fuera, Rainer gritaba una y otra vez mi nombre.

La araña tenía brillantes ojos muertos, que sobresalían ligeramente en su cabeza. En sus patas, crecían pequeños pelos negros. Se mantenía inmóvil y me miraba fijamente. De verdad, era la araña más grande que yo jamás había visto. Ciertamente, era la araña más grande del mundo. Ahora, lentamente, secretó de su cuerpo un pegajoso hilo plateado y comenzó a descender por él.

Yo seguía sin poder moverme. Me imaginé cómo me envolvería con su hilo, como les sucedía a las moscas, que, al comienzo del otoño, colgaban en las telarañas, brillantes como el rocío, de la valla de Hansi Pfeifer.

Tenía gotas de sudor en la frente y un nudo en la garganta, que casi me asfixiaba. La araña se aproximaba cada vez más y su tamaño se hacía más y más grande. Y cuando ya casi rozaba mi cara, pude, por fin, gritar.

Grité y salté de la cama y tiré del cinturón gris de la persiana, que salió disparada hacia arriba. Abrí, a la vez, la ventana, rasgando las cortinas y, de pronto, oí lo que yo gritaba: "¡Rainer!".

Él no dudó ni un segundo, cogió carrera y se lanzó dentro de la habitación por encima del alféizar de la ventana.

Señalé hacia la araña.

"¡Horrible!", dijo Rainer. "¡Una araña monstruo!".

"¡Haz algo!", dije.

Rainer pensó. Yo podía ver cómo pensaba y solamente el que él lo hiciera y estuviera a mi lado me iba tranquilizando.

Fuera se encontraban Martina Thiemann y Hansi Pfeifer y miraban con los ojos muy abiertos. Vi que la boca de Martina estaba abierta y que se mordía la lengua. Tenía un aspecto todavía más tonto de lo habitual.

"Espera", dijo Rainer. "Se me ocurre algo".

Sacó una caja de cerillas del bolsillo del pantalón, volcó las cerillas y abrió del todo la caja.

"¡Ahí no cabe la araña!", dije.

"¡Espera y verás!", contestó Rainer.

Se fue lentamente en dirección a la cama. Estaba totalmente tranquilo y casi le creí.

Alguien que se mueve así, no comete ningún error. Aun así, yo temblaba.

"¿Y si te muerde?".

Rainer no contestó.

"Clac", hizo la caja de cerillas. La araña monstruo había desaparecido.

"Ya está", dijo Rainer. Sonreía de la misma forma que entonces en el sótano. Podía ver la pequeña ranura entre sus incisivos y yo lo admiré.

❖

Mi padre me regaló una tortuga.

"Para que termine de una vez el lloriqueo por Raudi", dijo. "Para que pienses en otras cosas y tengas de nuevo una responsabilidad".

La tortuga estaba fría y era lenta y metía siempre la cabeza cuando yo quería hablar con ella. La llamé Amanda. Fue el único nombre que se me ocurrió para algo tan aburrido.

Amanda estaba en su caja, donde le había extendido arena para pájaros. Se tragaba las hojas de lechuga con su desdentada boca. No hacía más. Si la colocaba sobre la espalda, remaba con las escamosas patas. Mi madre indicó que aquello era maltrato de animales. "No maltrates jamás a un animal por diversión porque él siente el dolor como tú".

Hansi Pfeifer dijo que Amanda era una tortuga griega de tierra y que las tortugas griegas de tierra vivían hasta ciento cincuenta años.

Me imaginé que tuviera que alimentar aquella tortuga durante toda mi vida.

"En invierno, no", dijo Hansi Pfeifer. "Las tortugas hibernan".

Ahora era verano. Mi abuelo había soldado una ancha rueda de cinz para que Amanda pudiera pastar en el jardín delante de la casa.

Y el maestro Frank construía el nuevo garaje al lado. Había hecho una zanja para los cimientos y la hormigonera de la granja del tío Arnold estuvo girando durante toda la tarde.

Cuando, por la noche, quise meter a Amanda en casa, la rueda de cinz se encontraba vacía.

"Se equivocó", dijo Rainer. "Cimentada".

Señaló hacia las huellas en el cemento fresco, que, de pronto, desaparecían.

Amanda se había escapado por debajo de la rueda de cinz, se había atrevido demasiado y a mí se me quitó un peso de encima.

❖

"Las ratas son la leche", dijo Hansi Pfeifer.

Estábamos sentados sobre el borde de piedra de la valla de cazadores. Era un sábado de verano y el padre de Hansi trituraba la tarde con su cortacésped.

"¿Qué quieres decir?", preguntó Rainer.

Hansi Pfeifer lo miró. Los gruesos cristales de las gafas hacían enormes sus ojos. Por eso, ahora, de nuevo, daba la impresión de estar algo asustado.

"Las ratas", dijo Hansi, "son los animales más inteligentes del mundo".

"¿Cómo puedes saberlo tú?", pregunté.

"Lo he leído", contestó Hansi. "Está en el libro que me he pedido por mi cumpleaños".

"¡Qué pirao!", Rainer escupió. "¡El cuatroojos se pide un libro sobre ratas por el cumple! ¡No puedo creerlo!".

Hansi Pfeifer daba la impresión de estar bastante enfadado, ya que cuatroojos sólo permitía que se lo llamaran sus mejores amigos y seguro que Rainer no era uno de ellos. Pero lo de las ratas era más importante para él, así que tragó saliva y después dijo:

"Las ratas son incluso más inteligentes que las personas. Si han comido un veneno y se mueren, entonces advierten a las otras antes de morir y ésas ya no lo comen".

"Ah, ¿asi que las ratas pueden hablar?", preguntó burlón Rainer y, a la vez, empezó a hurgarse la nariz. "Interesante".

"En cierto modo, pueden", contestó Hansi. "Tienen un lenguaje de silbidos".

Se me puso la piel de gallina.

Las ratas eran peligrosas. Las ratas estaban en las cajas de las patatas. Las ratas eran asquerosas. Eso lo sabía yo muy bien: Las ratas devoraban incluso a las personas. En la guerra. Eso lo había contado el abuelo Thiemann: En las trincheras... donde estaban tirados soldados medio desangrados...llegaban las ratas... No me atreví a seguir recordando.

"¿No podéis hablar de otra cosa?".

"¡Vete a casa con mami!", dijo Hansi Pfeifer. "Y, además, hay un rey de las ratas".

Rainer se metio el coco en la boca y se golpeó después la sien con el dedo. "Estamos en la hora del cuento, ¿ o qué?".

"El rey de las ratas está formado por ratas enlazadas entre sí por el rabo", aclaró Hansi.

"Eso sucede, a veces, cuando las crías se pelean entre sí. Normalmente, esas ratas tendrían que morir, porque no pueden ir en busca de alimento. Pero las otras ratas les traen para comer y, por eso, pueden sobrevivir e incluso llegar a una edad avanzada. Con lo que científicamente queda demostrado que las ratas tienen un comportamiento social claramente parecido al de las personas".

Me di cuenta cómo trabajaba la cabeza de Rainer. Ahora estaba bastante impresionado.

"De locura", dijo. "Si eso es cierto...".

El cortacésped se había parado y el padre de Hansi Pfeifer llamó a voces.

"¡Mierda!", dijo Hansi. "Ahora tengo que rastrillar toda la hierba cortada". Se levantó desganado y se fue lentamente hacia la casa.

"¿Tú crees eso del rey de las ratas?", pregunté a Rainer.

Se encogió de hombros. "No sé", contestó. "Pero yo sé dónde hay ratas".

Un escalofrío me recorrió la espalda. De pronto, Rainer tenía un peligroso resplandor en los ojos. Podría haber apostado que sabía lo que se proponía. Antes de que pudiera seguir hablando, ya me había levantado de un salto.

"¡No!", exclamé. "¡Jamás! ¡Nunca te acompañaré!".

"¡Cobarde!", masculló Rainer. "Es cierto, tú no eres mejor que las tías tontas. ¡Podría haberlo pensado! ¡Chica es chica!".

Yo me apoyaba alternativamente en uno y en otro pie, me mordía el labio. Me hubiera gustado disolverme en el aire.

"¿Espanté a la gata del sótano?", preguntó Rainer. "¿Terminé con la araña monstruo? No olvides a quién tienes delante de ti: ¡Al especialista en trampas vivas! ¡Al revólver más preciso del Salvaje Oeste! ¡Y tú quieres echarte atrás! Bueno, entonces, ¡lárgate! ¡Pero no creas que volveré a hablar contigo! ¡Y tampoco perteneces ya a mi equipo! ¡Puedes formar parte del de las tías tontas!".

Yo dudaba. Si las ratas eran más inteligentes que las personas, seguro que también lo serían más que Rainer.

Pero si no lo acompañaba, perdería a mi amigo. Quizá para siempre.

Y eso seguro que era mucho peor que encontrarse con un rey de las ratas.

"Está bien," dije en voz baja. "Te acompaño".

En la parte vieja de la ciudad, las campanas comenzaron a sonar para la misa de vísperas del sábado. Los vencejos chirriaban alrededor del garaje de Thiemann. De la ventana de la señorita Fantini, se derramaba la *Kleine Nachtmusik*. Todo era como siempre.

Rainer dio la vuelta a la esquina, dirigiéndose hacia donde se encontraba la casa de los horrores, abajo en el terraplén del tren.

Que yo recordara, allí no había vivido nunca nadie. Todos los cristales estaban rotos y de la puerta de la casa colgaba un letrero amarillo enmarcado en negro: ¡Prohibida la entrada! Los padres se hacen responsables de sus hijos. El propietario.

Nos estaba tajantemente prohibido entrar en la casa de los horrores.

Mi padre había dicho: "Si te veo una sola vez allí, te ganas unas tortas".

Y ése era el peor de los castigos. Diez veces peor que la prohibición de no salir de casa.

Pero, de todas formas, yo no habría pisado voluntariamente la casa de los horrores porque el abuelo Thiemann había contado la historia del niño asfixiado: "Hace mucho tiempo...por la propia madre...en esa casa...con una almohada... apretando contra la cabeza del niño... hasta que dejó de moverse".

"Quédate aquí ", dijo Rainer. Miró en todas las direcciones y se acercó sigilosamente hasta la esquina de la casa.

La calle estaba vacía. Por un momento, confié en que él entrara en la casa de los horrores sin mí, pero me hizo un gesto asintiendo y exclamó: "¡Ven rápido!".

Tiró de mí hacia detrás de la casa y señaló una ventana abierta. "¡Por ahí! ¡Venga!".

Saltamos por encima del alféizar y nos encontramos en una habitación oscura. Había agujeros por todas partes: En el piso de madera, en el techo de la habitación. Y de las paredes colgaban jirones de papel pintado con muestras desteñidas de flores. Olía a moho y hacía fresco. Me sentía mal del miedo que tenía.

Pero no lo podía mostrar.

Rainer dio unas palmadas e hizo: "Chist, Chist!", después otra vez: "¡Chist, chist!".

En alguna parte de la casa, se oyó deslizarse algo.

"¿Oyes a las ratas?", preguntó Rainer.

Yo contenía la respiración y escuchaba atenta. Directamente sobre nuestras cabezas, oí pasitos.

Poco después un suave silbido.

"Ven", susurró Rainer. "Vamos arriba. ¡Pero no metas ruido!".

Cogió mi mano y nos movimos silenciosamente por la habitación hasta encontrarnos en un pequeño pasillo. Una escalera sin barandilla conducía hacia el piso superior. Los escalones chirriaban y cada vez que sucedía, nos parábamos y esperábamos. Mi mano, en la mano de Rainer, estaba totalmente sudorosa y mi corazón latía hasta en la punta de mis dedos.

Por fin, después de una eternidad, nos encontramos en el descansillo superior de la escalera.

Mis ojos se habían acostumbrado a la penumbra. Así sucedió que fui la primera en verla.

Apreté la mano de Rainer e hice una indicación con la cabeza en su dirección.

Era una rata parduzca, grande, con un grueso rabo lleno de pelos. Estaba inmóvil sobre un destripado colchón y nos miraba atentamente con sus ojos brillantes de botón.

Su hocico y los pelos del bigote temblaban ligeramente, olfateaba, olía que estábamos allí.

Yo jamás había estado tan cerca delante de una rata y, de pronto, comprendí lo que Hansi Pfeifer había querido decir. La rata tenía aspecto de muy inteligente. Seguro que era más inteligente que yo. Y seguro que era más inteligente que Rainer.

No nos movimos. La rata no se movió.

Y, de pronto, noté que algo no iba bien en Rainer. Temblaba, su respiración se había acelerado. Aspiraba el aire y, al hacerlo, hacía un ruido extraño. Una especie de silbido y estertor. Se oía como si fuera a asfixiarse, su cara estaba distorsionada, su aspecto era como si gesticulara. Era horrible.

Hubiera deseado darme la vuelta y salir corriendo. Y, a la vez, sabía: Ahora dependía de mí. Tenía que ayudar a Rainer.

Y mientras comprendía esto, en mi corazón de miedosa crecía un valor gigantesco.

Apreté su mano y tiré de él hasta el descansillo de la escalera. Me movía muy tranquila, con mucho cuidado, muy lentamente. Como había visto hacer en el circo a los domadores de leones.

Conduje a Rainer, andando hacia atrás, escaleras abajo. Sabía que si nos dabamos la vuelta, estaríamos perdidos. Entonces la rata saltaría sobre nuestras nucas y nos clavaría los dientes.

Pareció una eternidad hasta estar abajo y poder darnos la vuelta. Quería correr hacia la ventana y salir por ella a la calle.

Pero Rainer no podía. Buscaba aire y tenía los labios totalmente morados. Entonces apoyó las manos sobre el alféizar de la ventana y dejó caer la cabeza. Seguía jadeando. Su estrecha espalda subía y bajaba.

Me di cuenta de que Rainer lloraba, lloraba silenciosamente. Sus lágrimas goteaban sobre el polvo.

En un determinado momento, comenzó de nuevo a respirar tranquilo y entonces bajamos con cuidado por la ventana.

Rainer no dijo nada. Solamente cogió mi mano y la retuvo fuertemente apretada. Dimos la vuelta alrededor de la casa de los horrores y sólo dejó mi mano cuando llegamos bajo la ventana de la señorita Fantini.

Y entonces dijo: "Mierda de asma", e intentó sonreír.

Me dio un pequeño golpe en el costado e indicó: "¡A pesar de todo, eres valiente, chica! En realidad, como un chico...".

Y solamente entonces eché a correr...

Había tres posibilidades distintas de eludir las cosas malas:

Echar a correr, cerrar fuertemente los ojos o contener la respiración. En casos especialmente graves, yo tenía que hacer dos de esas cosas a la vez: Cerrar fuertemente los ojos y contener la respiración. O cerrar fuertemente los ojos y echar a correr. O echar a correr y contener la respiración.

Eso había funcionado siempre por lo menos hasta ese día.

Ahora ya no funcionaba.

La sonrisa de Rainer, sesgada como una sonrisa lunar, quedaba detrás de mis ojos cerrados. La sonrisa de Rainer golpeaba en mi cabeza, mientras yo contenía la respiración. Veía, una y otra vez, su desfigurada cara, las escarpadas arrugas en la frente, mientras intentaba conseguir aire. Como si quisiera hacer una mueca. Una mueca fea, una mueca diabólicamente mala.

Estaba sentada en la escalera delante del pasillo de nuestra vivienda y lloraba.

No había nadie en casa que me abriera la puerta, nadie que me abrazara, nadie que me explicara lo que significaba asma.

Más tarde, cuando, por fin, se oyó la puerta del edificio y escuché los pasos de zapatos de tacón alto de mi madre en la escalera, ya se había vuelto oscuro. Se encendió la luz del pasillo haciendo brillar los escalones, tintineó el llavero y, por fin, estaba delante de mí.

"¿Dónde has estado?".

"En casa de Rainer".

"Ahí no has estado. ¿Dónde estuviste?".

"¡Estuve con Rainer en el terraplén de la vía!".

"Ahí no has estado. ¿Dónde estuviste?".

"Estuve con Rainer en el terraplén de la vía jugando".

"Ahí no estuviste. ¡Mientes!".

"No miento, mamá".

"¡Mientes! ¡Vete a tu habitación!".

Ahora yo tenía todos los motivos del mundo para llorar. Ahora tenía miedo y estaba furiosa. ¿De qué sabía ella de nuestra visita a la casa de los horrores? Habíamos tenido cuidado en todo. ¡La calle había estado vacía, desierta!

Mi padre llegaría a casa dentro de un momento. Entonces, mi madre le informaría con los labios apretados. De mí, de la mentirosa, su propia sangre. De la visita a la casa de los horrores. ¿Y dónde terminaría todo?

"Gisbert, ¿cómo va a terminar todo esto? Hace lo que le viene a la cabeza y me mira descaradamente a los ojos cuando miente".

Y mi padre asentiría, sin ganas. "¿No puede uno tener ni siquiera tranquilidad cuando vuelve del trabajo?".

Ellos hacían siempre como si supieran todo y, en realidad, no sabían nada, absolutamente nada.

Cuando pasó el de las 19,26, abrí la tapadera de la caja de los tesoros. El más valioso de mis cristales mágicos era ovalado y tenía dos pequeñas burbujas de aire encerradas en un verde turquesa. Cuando tenía ese trozo de cristal delante de mis ojos, las cosas, en las burbujas, se ponían boca abajo. Se le daba la vuelta al mundo y entonces no había nada que yo pudiera temer.

Sostuve el cristal mágico delante de los ojos y vi cómo se abría la puerta de la habitación. Mi padre andaba cabeza abajo y venía hacia mí.

Esperé su voz, pero calló. Empujó con el pie la papelera delante de mi cama. Después, siempre en silencio, cogió la caja de los tesoros de la mesa, la vació y la colocó, sobre el suelo invertido, delante de él.

Sólo la pisó dos veces. Escuché el crujido de la madera y pensé que era mi corazón.

Aunque yo seguía teniendo el cristal mágico en la mano, hacía tiempo que el mundo estaba de nuevo sobre sus pies. Mi padre me miró. Intenté ocultar el cristal mágico en el puño, demasiado tarde. Mi padre me dobló los dedos hasta separarlos, cogió el cristal, abrió la ventana y lo arrojó lejos en la noche.

"Así", dijo mientras corría las cortinas. "Espero que te sirva de escarmiento".

Había castigos malos, había castigos más malos y había los castigos más malos de todos. Los más malos de todos eran como el asma de Rainer. Me quitaban la respiración.

Estaba tendida sobre la cama y sollocé hasta que me dolieron los pulmones. Después se abrió silenciosamente la puerta de la habitación y mi madre se sentó en el borde de la cama.

"¡No lo vuelvas a hacer!", dijo y pasó su brazo alrededor de mí. "¡Mírame!". Tiró de mi barbilla hacia arriba. Sollocé, mi labió inferior temblaba, pero no evité su mirada ni un segundo.

"Ya está bien", suspiró. "¡Ya está bien! ¿Sabes? No se puede ser siempre una buscadora de tesoros. Y tú ya eres mayor".

❖

Michael Franke había construido un arco. Ahora vivía en el Oeste Salvaje y se hacía llamar Ojo de Águila, jefe indio, de la tribu de los sioux. A Martina Thiemann le permitió ser su *squaw,* porque le habían regalado, por su cumpleaños, una tienda de indios. Ahora se llamaba Pequeña Flor y, con la cinta en la frente que ella misma había tejido, tenía de nuevo un aspecto bastante tonto. Además llevaba a la espalda, cogida con un paño, su nueva muñeca bebé. Y eso era poco práctico, especialmente cuando jugábamos a "Pescador, pescador, ¿cuánto cubre el agua?". Ya que, una y otra vez, la muñeca resbalaba del paño y Martina gritaba "No vale" cuando le daban la palmada.

"¡Estúpido ganso!", dijo Rainer.

Michael Franke se hizo fuerte ante él. "No te metas con ella, comecocos".

Rainer apretó los puños. "¡Dilo otra vez!".

"¡Comecocos!".

"¡Cara de culo!".

"¡Comecocos!".

"¡Chupaculos!".

"¡Se lo voy a decir a mi mamá!", gritó Martina Thiemann.

Michal Franke se hinchaba como una mariquita. Le sacaba por lo menos una cabeza a Rainer.

Pareció, sin embargo, pensarlo bien y dijo lentamente, muy despacio y muy claro: "Y...que...tu...madre...es...una...puta...borracha...eso...también...lo...sabe...aquí...cualquiera...y...tu...padre...".

No llegó más allá. Rainer había cogido impulso y golpeado rápido.

Golpeado sin pensar, golpeado sin frenar, golpeado con toda la fuerza que habitaba en él y que nadie lo pensaría porque daba una impresión tan débil y frágil.

Michael Franke gimió y cayó al suelo. Oímos cómo su cabeza golpeaba contra el bordillo de la acera, fue un apagado pfff, como si mi padre hubiera abierto una botella de vino.

Después se quedó inmóvil, no se movía, totalmente pálido y, de la comisura de sus labios, salía una mezcla de saliva y sangre.

Estábamos como paralizados. Vi los gigantescos ojos de Hansi Pfeifer, la boca semiabierta de Martina Thiemann. Estábamos allí como si nos hubieran crecido raíces y mirábamos fijamente a la boca de Michal Pfeifer. Y, de reojo, vi cómo Rainer corría tan rápido como si corriera por su vida.

Cuando pasó el de las 16,48, Martina Thiemann comenzó a gritar. Su grito era estridente y no terminaba. En algún momento tendrá que coger aire, pensé, pero no cogía aire.

Hansi Pfeifer lloraba y yo hubiera deseado echar a correr.

Martina gritaba y la primera que abrió la ventana fue la señorita Fantini. Se inclinó hacia fuera, después volvió a cerrar.

La viuda Wehbold abrió la puerta del jardín y se acercaba hacia nosotros cojeando, apoyándose en su bastón. Con la mano libre amenazaba. A la vez, se abrió de golpe la puerta de la casa de los Thiemann y el maestro Franke corrió escaleras abajo, directamente seguido por la señora Thiemann.

Ahora también vi a mi madre mirar desde la ventana del dormitorio. Un momento más tarde, se encontraba junto a mí. Al final de la calle, apareció el señor Pohling.

Michael seguía sin moverse. El maestro Franke se arrodilló junto a él.

"Dios mío," suspiró mi madre. "Dios mío, ¿qué habéis hecho?".

"¡Una ambulancia!", gritó el maestro Franke. "¡Necesitamos inmediatamente una ambulancia!".

"¡Uno, uno, dos!", dijo la señorita Fantini sin aliento. "He llamado inmediatamente! ¡Uno, uno, dos!".

También ella, de pronto, estaba a mi lado. Hansi Pfeifer, totalmente pálido, se sentó en el bordillo. Martina Thiemann ocultó su cara en el delantal de su madre. Ahora solamente sollozaba y, en su espalda, la muñeca temblaba a cada sollozo, como si estuviera viva.

El maestro Franke le retiró a Michael los pelos de la frente, después le tomó el pulso.

"¿Está muerto?", susurré.

"Chist". Mi madre me puso la mano en la boca.

El señor Pohling había llegado donde estábamos con sus altos botines de cordones.

"¿Ha tenido un accidente?", chirrió su voz. "Diablos, el chaval tiene mal aspecto".

Llevaba puesto de nuevo el sombrero marrón de alas anchas.

Vi sus ojos de mirada diabólica y, sin que nadie me viera, hice una cruz con el índice en su dirección.

A lo lejos, sonaba la sirena de una ambulancia.

El maestro Franke tenía la cara enrojecida y la gruesa vena en su sien palpitaba. De pronto, se levantó, agarró a Hansi Pfeifer de los hombros y lo agitó.

"¿Quién ha sido?", gritó. "¡Quiero saber quién fue! Pfeifer, ¡dime inmediatamente quién ha sido!".

El ruido de las sirenas se acercaba.

Allí, donde estaba Hansi, el asfalto se oscureció y se formó un charco en el sumidero.

"Fuefuefue Rararainer", tartamudeó.

El maestro Franke lo soltó.

La viuda Wehbold agitó la cabeza.

"Ya, ya", dijo.

"¿No lo he dicho siempre?: La manzana no cae lejos del tronco. Cuando pienso en el padre... Después pasa lo que pasa. No es una relación recomendable para gente de bien".

Vi como la señora Thiemann asentía.

¡Pero si Rainer era mi amigo!

Entonces contuve la respiración. Después cerré fuertemente los ojos. Seguidamente, hice ambas cosas a la vez. De nuevo no sirvió para nada. Y cuando la ambulancia se detuvo con un chirriar de frenos, tuve que pensar, de pronto, en la caja de los tesoros y deseé tener mi cristal mágico y, a la vez, pensé en la frase de mi madre: "¡Una no puede quedarse siempre en buscadora de tesoros! ¡Y tú eres ya mayor!".

Pero yo no me había hecho mayor en nada y sabía exactamente que jamás querría serlo.

Pusieron a Michael Franke sobre una camilla y lo ataron, después fue introducido en el coche. El maestro Franke subió también.

"Esto traerá consecuencias", dijo y cerró la puerta del coche.

Cuando la ambulancia dobló la esquina, la señora Thiemann dijo que lo sucedido era de esperar.

"Nada en contra de un vasito de vino por las noches, eso a cualquiera nos gusta y te hace sociable. Usted ya sabe lo que quiero decir". Contuvo la risa, como si hubiera dicho algo inmoral y yo pensé que ella se reía como Martina.

"Pero a plena luz del día y encima siendo mujer... Y las cortinas. ¿Se ha fijado usted en las cortinas?".

"¡Usted lo ha dicho! ¡Esa mujer es una sinvergüenza!", apuntó la viuda Wehhold. "Y a una sinvergüenza se la reconoce siempre en las cortinas. No han sido lavadas ni una sola vez en todo este tiempo. Y no hablemos de la limpieza de las ventanas. Pero, eso sí, visita de hombres hasta bien entrada la noche...".

Bajaron la voz y juntaron sus cabezas.

Me solté de la mano de mi madre, me introduje entre la señorita Fantini y la señora Thiemann para sentarme en el bordillo de la acera, cerca de Hansi Pfeifer.

Hansi había dejado de llorar.

"¡Mierda! Ahora encima me he meado".

"Eso no es tan grave", intenté consolarlo. "A mí también me habría sucedido".

"¡Eso sólo les está permitido a las chicas!", dijo Hansi y movió la cabeza.

❖

Esa noche no podía dormirme. Me encontraba en la cama y miraba el dibujo de las cortinas, que era proyectado en la pared por la luz de la farola de la calle.

"¡Y no olvides rezar por Michael Franke!", había dicho mamá cuando le tuve que dar el beso de hasta mañana.

Había rezado por los dos. Por Michael Franke y por Rainer...e incluso algo más por Rainer. En el radiador, las burbujas de aire gorgoteaban. Una y otra vez, veía ante mí la cara pálida de Michael Franke y el hilo de sangre que corría de su boca. Un coche pasó por delante de la casa. Los dibujos de las cortinas se alejaron hasta el techo de la habitación y, lentamente, resbalaron nuevamente a su sitio.

"Dios mío", recé, "Dios mío, haz que, por fin, pueda dormirme".

El silencio era total, menos en mi cabeza. En mi cabeza, había mucho ruido y confusión.

¡Traer consecuencias! ¡Eso traería consecuencias! ¿Qué había querido decir el maestro Franke?

¡Si nosotros no habíamos jugado! Que Rainer hubiera golpeado y que Michael ya no se moviera, que Martina Thiemann hubiera gritado así y que Hansi Pfeifer se hubiera meado, claro que todo eso no era ningún juego.

¡Una sinvergüenza! ¿Qué era una sinvergüenza? ¿Y por qué se descubría siempre a una sinvergüenza en las cortinas? ¿Qué había de falso en las cortinas de la madre de Rainer?

Y visita de hombres hasta muy entrada la noche, también la habíamos tenido nosotros en casa cuando vinieron el tío Hubert y el tío Werner y bebieron con mi padre de la botella de whisky hasta que estuvo vacía. "Un animal sabe cuando tiene suficiente", se había indignado mi madre y había dejado que mi padre durmiera esa noche en el sofá.

Pero, aun así, nosotros no éramos ningunos sinvergüenzas. Nosotros éramos gente de bien, con las cortinas correctas.

Yo sabía que todas las palabras tenían un segundo significado. Un significado que nosotros, niños, no podíamos entender, un significado que solamente los adultos conocían. Ellos hablaban un lenguaje secreto. Las mujeres alrededor del carro de la leche y los hombres detrás de la valla de los jardines.

"Y hay algo más", se gritaban los hombres, sin levantar la mirada de la azada, y las mujeres alrededor del carro de la leche bajaban la voz, asentían hacia la derecha o hacia la izquierda y decían: "¡En casa de ésos, hay de nuevo jaleo!".

Probablemente uno se hace mayor cuando finalmente ha aprendido a entender ese lenguaje secreto, pensé. Y me pregunté si Rainer ya lo entendía o Hansi Pfeifer o Martina Thiemann o Michael Franke.

Oí el gorgojeo de las pompas de aire en los radiadores y, finalmente, me dormí.

En sueños, quería volar. Me balanceaba sobre el estrecho muro de contención bajo el arco del viaducto y movía mis brazos como hacen los grandes pájaros.

Bajo mis pies, estaba la calle, a seis metros de profundidad, y los camiones de la granja del tío Arnold circulaban en una larga caravana, como las columnas de los vehículos militares por la autopista. Los camiones estaban cargados de brillantes cristales mágicos verdes. Si me caía, pasarían por encima de mí.

Esa noche, me balanceé sobre el estrecho muro de contención bajo el arco del viaducto y cuando me di la vuelta, Rainer se encontraba delante de mí. Jadeaba y buscaba aire. El maestro Franke tenía sus grandes manos alrededor de su cuello. "¡Esto traerá consecuencias!", vociferaba el maestro Franke. "¡Esto traerá consecuencias!".

Rainer intentaba llegar hasta donde yo me encontraba para sujetarse a mí.

"¡Ayúdame! ¡Ayúdame!", jadeaba. Retrocedí, pero ya no quedaba mucho espacio porque, desde el otro lado, venía el señor Pohling. Agitaba su sombrero marrón y podía ver sus cuernos de diablo.

"¡Ya te tengo!", gritaba sordamente. Y la viuda Wehbold se reía tras él con su risa de bruja.

Extendieron sus manos hacia mí y aleteé temiendo por mi vida.

Sólo en el último momento conseguí soltarme.

Caí en el vacío, me tranquilicé y volé como un pájaro a través del arco del viaducto, sobre los raíles del ferrocarril, sobre las copas de los árboles de la pradera, al lado del río, y más arriba, cada vez más arriba, hasta que dejé de oír las voces y solamente el viento soplaba en mis oídos.

❖

Al día siguiente, Michael Franke faltó a clase.

También faltó Rainer.

Martina Thiemann y Hansi Pfeifer habían ido todo el camino hasta la escuela diez pasos delante de mí. A mi "¡Esperadme!" no había recibido ninguna respuesta y cuando intenté alcanzarlos, aceleraron el paso.

En la clase de religión, el vicario Wittkamp nos contó la historia de Caín y Abel. Contó que Caín y Abel habían ido a presentar a Dios una ofrenda. Ciertamente, nosotros no sabíamos qué era una ofrenda, pero la de Abel le había gustado más a Dios, dijo el vicario Wittkamp y contó que Caín y Abel discutieron por ello y, finalmente, Caín había cogido una piedra y había matado, cegado por la ira, a su hermano Abel.

El vicario Wittkamp hizo una pausa significativa y, a pesar de que no mencionó a Rainer ni a Michael Franke, tuvimos la sensación de que aquello de Abel y Caín tenía algo que ver con ellos. Nosotros no nos movimos, encogimos las cabezas y esperamos.

"Seguro que vosotros creéis", dijo el vicario Wittkamp, "vosotros creéis que la historia termina aquí". Esperó nuestro asentimiento, después sonrió suavemente y movió la cabeza.

"No, niños", dijo, "esta historia todavía no está del todo contada: Después de que Caín matara a su hermano, la voz de Dios tronó desde el cielo y preguntó: 'Caín, ¿dónde está tu hermano Abel?' Y Caín se encogió de hombros y contestó: '¡No lo sé! ¿Soy quizá el guardián de mi hermano?'".

Martina Thiemann chasqueó con los dedos cuando quiso hablar.

"Sí, ¿Martina?", preguntó el vicario Wittkamp.

"¡Él miente! ¡Sabe muy bien dónde está Abel! ¡Lo que quiere es no ser castigado!".

"¡Correcto, Martina!", dijo el vicario Wittkamp. "Y así se lo dijo Dios a Caín. Le dijo: '¡Yo sé muy bien qué es lo que has hecho y por eso te maldigo! ¡Nunca más te encontrarás en casa, vagarás por el mundo! Ése es tu castigo'".

Martina Thiemann raramente era elogiada y cuando me miró triunfante, le saqué la lengua.

El vicario Wittkam movió disgustado la cabeza y se puso junto a mí.

Muy suavemente, colocó su mano en mi nuca y después apretó fuertemente con las duras puntas de sus dedos. Y mientras yo levantaba los hombros y me giraba en su llave, que me atornillaba, el vicario Wittkamp continuó hablando como si no sucediera nada, como si no me hiciera daño, como si no apretara cada vez más y contó, con su voz suave de cura, que Caín le había suplicado a Dios que lo dejara en su casa. "¡Si no pertenezco a ninguna parte, los demás me matarán a golpes!", había dicho Caín. Y entonces Dios le hizo una señal en la frente, dijo el vicario Wittkamp, de forma que a nadie le estaba permitido matarlo y así Cain pagaría lo que había hecho durante toda su vida.

En el recreo, Martina Thiemann señaló, de pronto, hacia mí con el dedo.

"¡Ésa!", dijo en voz alta. "¡Ésa es su amiga! Ésa se coge de la mano con ése".

❖

Mientras yo esperaba a las consecuencias anunciadas por el maestro Franke, Rainer se hizo invisible.

Fuera, sonó la campanilla del carro de la leche y mamá me puso la lechera en la mano.

Me coloqué a la cola y esperé hasta que llegó mi turno y escuché lo que se hablaba.

"Traumatismo cerebral", dijo la señora Thiemann hacia las mujeres en el carro de la leche y las mujeres suspiraron y dijeron: "Pobre chico". Después lanzaron miradas en mi dirección, juntaron sus cabezas y susurraron en voz baja, mientras que el lechero Velten bombeaba la leche en nuestra lechera. Como siempre, llevaba puesta una bata blanca y sus manos rojas eran grandes como palas.

El lechero Velten me ofreció la lechera y colocó la vuelta sobre el mostrador.

"¡Fea historia!", dijo. "¡Y un cordial saludo a la señora madre!".

Asentí y bajé calle abajo hacia nuestra casa. La lechera estaba llena hasta el borde y yo tenía que ir muy despacio para no tirar ni una sola gota.

Traumatismo cerebral sonaba peligroso. Mucho más peligroso que una fractura de brazo o una fractura de pierna. Trauma-tismo.

Mamá había dicho que Michael Franke estaba muy grave. Tendría que quedarse en el hospital, pero no había utilizado las palabras traumatismo cerebral.

A la izquierda, en la pradera, detrás de la valla de cazadores, Hansi Pfeifer estaba sentado y leía un grueso libro.

Cuando pasé delante, levantó la vista. Me habría gustado hablar con él, quizá supiera lo peligroso que era un traumatismo cerebral, quizá pudiera explicarme todo. Levanté la mano y saludé. Pero Hansi Pfeifer hizo como si no me viera. Miró sencillamente en otra dirección, se levantó de un salto y corrió hacia la casa. Un camión de la granja del tio Arnold pasó en ese momento por delante .

En el Tilsiter Weg, el señor Pohling estaba serrando la tarde con su sierra circular. Eso lo hacía cada vez que el cielo estaba muy bajo y azul y el sol brillaba como hoy.

"Así la madera se mantiene seca", había explicado mi padre. Pero tampoco esa vez quise creerle.

Me imaginé que el señor Pohling, con cada chirrido de la sierra circular, cortaba un trozo de aquel cielo azul. Ya que, en definitiva, el diablo tiene sus obligaciones.

Pero todavía brillaba el sol y hacía tanto calor que el aire tremolaba sobre el asfalto.

En la lechera, pequeñas gotas de agua resbalaban por fuera cayéndome en las piernas. Estaban frescas y me venían bien.

En casa de los Franken, las persianas estaban bajadas. Seguro que estarían con Michael en el hospital. La ventana de la cocina de los Thiemann estaba ampliamente abierta. Se oía un aparato de radio y el ruido de los cacharros.

Tuve que pensar en la madre de Michael. Ella siempre tenía el aspecto como el de Blacanieves en mi libro de cuentos. Pero no era ninguna princesa, era una hermana de la caridad. Lo había contado mi padre una noche en la que se habían olvidado de mí y yo me encontraba inmóvil delante de la ventana de la sala de estar.

Claramente, a mi padre no le gustaban las hermanas de la caridad. "¡Ésa me ataca los nervios con sus eternas colectas de dinero y esa beatería! ¡Terminará creciéndole una corona de santa!", dijo y mi madre había apretado fuertemente los labios y contestado: "Gisbert, eres injusto con esa mujer".

"¡Dos veces al año a Lourdes!". Mi padre había agitado la cabeza. "¡Dos veces al año a Lourdes no es normal!".

"Es una peregrinación. Y parece que es muy bonita, también el paisaje", había contestado mi madre. "Ella reza allí a la madre de Dios y... ".

"Y van de rodillas montaña arriba y ahora quieren que nosotros también lo hagamos. ¡Eso jamás!", había dicho mi padre. "¡Nosotros nos vamos al Mar del Norte!".

Me sentí aliviada por esa decisión, ya que construir castillos de arena en las vacaciones era, seguro, más agradable que arrastrarse sobre las rodillas montaña arriba. Aunque con la construcción de castillos de arena no se consiguiera la corona de santa.

La madre de Michael Franke había contado, una y otra vez, sobre las peregrinaciones a Lourdes y cuando lo contaba, se le iluminaban los ojos y aparecían manchas rojas en sus mejillas.

Ah, el vicario Wittkamp era un maravilloso guía y el convento, en el que habían pernoctado, era de una majestuosidad impresionante. "Y el paisaje, ¡sencillamente indescriptible!".

En una ocasión, después de unos oficios religiosos de domingo, había rebuscado en su bolso y había sacado una pequeña botella.

Se la puso a mamá en la mano y le dijo que dentro había agua milagrosa de Lourdes. Se podía utilizar en casos de enfermedades graves. La madre de Dios ya había hecho así más de un milagro. Y mi madre colocó la botellita en el armario de las medicinas en el cuarto de baño, junto a las pastillas contra los dolores de cabeza.

Mientras el agua de la lechera me goteba en la pierna, me imaginé cómo la señora Franke vertía ahora el agua milagrosa de Lourdes sobre la cabeza de Michael, en su habitación del hospital, y deseé que eso ayudara.

Hacía fresco en la escalera de la casa y todavía olía un poco a la comida del mediodía.

Fuera, la calle aparecía distorsionada a través de los gruesos bloques de cristal.

Me paré en el pasillo, delante de la puerta de Rainer, y escuché atentamente. De alguna manera, confiaba en que saliera, me sonriera y me preguntara: "Qué, chica, ¿cómo te va hoy?".

Entonces le habría contado la historia de Caín y Abel, del vicario Wittkamp y que yo le había sacado la lengua a Martina Thiemann y que ahora ella me llamaba ésa.

Y seguro que se reiría y habría dicho: "¡Ésa! Me parece bien eso de ésa. ¡El nombre encaja contigo! Y, ésa, anótate algo: las tías tontas no se llaman ésa".

Pero Rainer se mantuvo invisible detrás de la puerta y en su piso había un silencio como si ya no viviera nadie en él.

"Bueno, nos vamos", dijo mi madre cuando el tren de las 19,26 terminaba de pasar.

"Lávate los dientes, vete a la cama y ¡no te olvides de rezar!". Afiló los labios y me dio un lejano beso de buenas noches, para evitar que se le corriera la pintura de los labios.

"Y si sucede algo, llama a casa de los Franke", dijo mi padre. "El número está junto a la guía de teléfonos".

"Y no abrás la puerta a nadie. ¿Has oído?".

Asentí y tragué saliva y el pestillo cayó en la cerradura de la puerta del pasillo. Yo sabía que ahora vendrían las "consecuencias".

Me encontraba detrás de las cortinas de la ventana del dormitorio y vi cómo mis padres iban calle abajo. Se pararon delante de la valla de los Pfeifer. Esperaron y aparecieron los padres de Hansi y abrieron la puerta del jardín. Vi cómo se saludaban. Sus caras estaban muy serias. Después mi padre fue al lado del padre de Hansi y mi madre le seguía, a tres metros de distancia, al lado de la madre de Hansi. Subieron las escaleras hacia la puerta de los Thiemann y pensé: Tienen un aspecto ceremonioso. Y después se abrió la puerta y desaparecieron.

Detrás del viaducto, se agolpaban gruesas nubes negras en el cielo. El aire estaba amarillento.

Y a pesar de que todavía era demasiado pronto, se encedieron las farolas de la calle.

Un rayo zigzagueó por encima de la torre del campanario, pero no se oyó ningún trueno.

Comencé a tener miedo mientras que, en la perrera, los perros empezaron a aullar.

Y cerré fuertemente los ojos y no sirvió de nada. Y contuve la respiración y no sirvió de nada. E hice ambas cosas a la vez y ¡no sirvió de nada!

Y supe que ahora me habría ayudado mi cristal mágico, entonces el cielo se habría vuelto verde y el miedo pequeño. Pero mi cristal mágico se encontraba entre la maleza, allí donde ya nunca lo volvería a encontrar.

Cuando nuestro perro Raudi todavía vivía con nosotros, jamás sentía tanto miedo. Tampoco en el antiguo piso había gata del sótano ni arañas monstruos. Cuando entonces se presentaba una tormenta, Raudi saltaba sencillamente a mi cama y nos dábamos valor el uno al otro.

"¡Ah, Raudi, no necesitas tener miedo!" decía yo y él me chupaba la mano con su suave lengua.

Pero aquí, en este piso, tenía miedo porque Raudi estaría en algún lugar para animales y aullaría lo mismo que los perros detrás del viaducto y, al lado, el maestro Franke examinaba las "consecuencias".

Fuera, el aire estaba inmóvil. Ni una hoja se movía en los árboles y se hacía cada vez más oscuro. Pero, aun así, no me atreví a enceder la luz.

Porque la electricidad atraía a los rayos.

Eso lo había dicho mi padre. Y había dicho que el rayo cae allí donde se oye la radio cuando hay tormenta. Casas enteras habían ardido sólo porque alguien había querido escuchar la radio mientras relampagueaba. Y yo se lo creí. Pues yo misma había comprobado lo peligrosa que puede ser la electricidad. Solamente en una ocasión había intentado introducir en el enchufe el carnoso tallo de una violeta y, de pronto, habían saltado chispas y, a la vez, algo me había golpeado. Algo invisible, algo muy, muy fuerte. Yo había gritado y, horas más tarde, aún seguía sintiendo dolor en el brazo.

Un trueno retumbó por encima de nuestra casa, después una repentina ráfaga de viento se extendió a lo largo de la calle. Vi cómo se levantaba el polvo. Relampagueó y tronó de nuevo y, mientras gruesas gotas de lluvia golpeaban contra los cristales de la ventana, pensé que el mundo se venía abajo.

Casi que no oigo los golpes en la puerta del piso. Salí de puntillas al pasillo. Golpeaban tres veces largo y tres veces corto, otra vez tres veces largo y tres veces corto y después se calló.

Contuve la respiración y apoyé mi oreja contra la puerta. Al otro lado, alguien respiraba como si hubiera llegado corriendo.

"¿Estás ahí?", preguntó Rainer. Jadeaba. "¡Sé que estás ahí! ¡Abre!".

"¡Estoy sola!", contesté. "¡Tengo prohibido abrir!".

"¡No digas tonterías!", dijo Rainer. "¡Déjame entrar de una vez!".

Lentamente, apreté el picaporte hacia abajo.

"¿Por qué estás a oscuras?", preguntó y dio la luz del pasillo.

"Porque si no caerá un rayo", dije.

"¡Semejante estupidez! ¿Quién te lo ha dicho?".

Rainer estaba empapado y allí donde se encontraba se había formado un charco en el suelo. Sonreía torcido y desconcertado. Y de nuevo vi aquel pequeño espacio entre sus incisivos. Y olía a lana mojada, a pradera y a galletas crujientes. Y, de pronto, ya no tuve miedo y todo volvió a ser casi como antes de que Michael Franke se hubiera golpeado contra el borde de la acera, cuando el vicario Wittkamp todavía no había contado la historia de Caín y Abel y Martina Thiemann todavía no me había llamado ésa. Como antes, cuando no había ninguna consecuencia y, juntos, jugábamos a "Pescador, pescador, ¿cuánto cubre el agua...?".

"Ven al cuarto de baño", dije. "Te daré una toalla".

Fuera seguía tronando, pero ya ninguna tormenta del mundo podía darme miedo.

"¿Por qué no fuiste a la escuela?", pregunté cuando se secaba frotándose.

Rainer no contestó. En su lugar, se quitó el jersey mojado. Y entonces vi las marcas en su espalda. Eran sanguinolentas, casi como la muestra de un enrejado, como el que yo pintaba en mi plato cuando los viernes había potaje de verdura.

"¿Quién te ha hecho esto?"

Rainer se encogió de hombros.

"La gata del sótano", dijo. "La gata del sótano estaba allí de nuevo. Sencillamente, ha vuelto. Estaba sentada sobre el dosel. Esta vez, fue más rápida que yo. ¡Nunca se le debe dar la espalda, tenlo en cuenta!".

Colocó el jersey sobre el radiador de la calefacción y se enrolló en la toalla.

"¡Pero esto queda entre nosotros!", dijo y me miró. "¿Lo juras?".

Levanté tres dedos. "Lo juro".

"Si además tienes algo para comer, te revelaré algunos trucos contra gatas de sótano".

"¿Copos de avena con agua, azúcar y cacao?".

Asintió. "Pero, por lo menos, tres tazones".

Mientras fuera los rayos seguían zigzagueando, lo conduje a mi habitación, le enseñé mi oscura cueva debajo de la colcha y nos metimos dentro, comimos, cucharada a cucharada, avena con agua, azúcar y cacao y durante un buen rato no dijimos nada.

Yo no creía la historia de la gata del sótano, pero tampoco quería oír otra cosa, nada que hubiera podido ser todavía peor.

Apoyé mi cabeza en su hombro, aspiré su olor a galletas crujientes y deseé que todo fuera así para siempre.

"Las gatas de sótano son mucho más peligrosas de lo que crees", dijo Rainer. "Una vez que han saltado sobre ti, te juegas la vida. Y también tiene que ver con ser rápido. Ésa es la única posibilidad que tienes, chica. Tú tienes que ser más rápida que la gata del sótano. Tienes que revolcarte hasta que ella se suelte de ti e inmediatamente esquivarla, con el fin de que salte en el vacío. Y sólo mientras salta puedes huir. Y después... tienes que correr como si te fuera la vida en ello. Y esconderte donde no te pueda encontrar, allí donde nadie te encuentre...".

Yo pensaba dónde podría ser. ¿Dónde no me encontraría nadie? No podía imaginarme dónde nadie podría encontrame.

Rainer pasó su brazo alrededor de mis hombros.

"Te diré dónde no te encontrará nadie", dijo. "Pero antes tienes que jurar que jamás en tu vida se lo dirás a nadie".

"¡Lo juro!", respondí también en un susurro.

"¿Por la vida de tu madre?".

"Lo juro por la vida de mi madre".

"Allí, donde nadie te encontrará", susurró Rainer "es siempre allí donde nadie te busca. Y allí donde nadie te busca es siempre allí donde estés muy cerca del que te busca. ¿Entendido?".

Negué con la cabeza.

"¡Pero si es muy sencillo!", dijo. "Si yo te busco, entonces lo mejor es que te escondas detrás de mis espaldas. Si te busca tu madre, entonces lo mejor es esconderte en la cocina, debajo de la mesa. No te ve cuando estás muy cerca de ella... y entonces...".

No siguió hablando. Cogió mi mano y yo sentí la áspera, agrietada piel de sus nudillos.

Fuera, la tormenta se había alejado. Ahora solamente oíamos débilmente los truenos detrás de las montañas y los perros en la perrera habían dejado de aullar.

Supe, de pronto, que era cierto lo que él decía. Nunca me habían visto cuando había estado muy cerca, cuando me encontraba delante de la ventana y miraba al cielo en llamas. Sólo que no había que moverse, había que estar en silencio e inmóvil, entonces una se encontraba en el lado seguro. Entonces una se volvía invisible.

"Lo de las arañas también es muy fácil", dijo Rainer de pronto. "¿Quieres saberlo?".

Asentí.

"Hay que domarlas, ¿entiendes?".

"Eso no es posible".

"Claro que es posible. Es muy fácil. Primero hay que observarlas. A una distancia segura. Cómo tejen la tela, cómo corren, cómo acechan. Ellas siempre acechan desde una esquina de la tela. Pueden esperar tremendamente largo. Y cuanto más se las mira, más bellas se vuelven. Ése es el comienzo de la doma. En un momento determinado, te das cuenta de que son perfectas y entonces te acercas cada vez más. Puede pasar un par de días hasta que te atreves. Y si estás lo suficientemente cerca, entonces tienes que extender la mano hacia ella. La araña nota que tú estás vivo. La mano está caliente. Y ella se acerca y quiere caminar por tus dedos.

Pero no tienes que retirar la mano, porque entonces la doma no se consigue. Al principio, hace algo de cosquillas cuando corre por tus dedos. Pero no sucede nada más. Y si la has aguantado una vez, entonces jamás volverás a tener miedo de las arañas. Entonces incluso las puedes coger y meterlas en una caja de cerillas... ¡Como yo!".

Me estremecí. "¡Jamás conseguiré hacerlo!".

"Claro que lo conseguirás, chica. ¡Sólo tienes que quererlo! Yo también lo he conseguido".

"¿Y quién te lo enseñó a ti?", pregunté.

"En el orfanato, se aprenden también otras cosas".

Me asusté cuando pronunció la palabra orfanato y tuve que pensar, de pronto, en el maestro Franke y en mi padre y en Raudi en la perrera.

"¿Qué orfanato?", pregunté. "¿Estuviste enjaulado?".

Soltó mi mano.

"Cuando hayas domado a las arañas, te lo contaré", dijo.

Y bostezó y se giró hacia un lado. Y, de pronto, me sentí muy cansada, me acurruqué contra él y nos debimos quedar dormidos.

❖

Lo que se había jurado, había que mantenerlo. Incluso aunque eso supusiese ser golpeada. Incluso cuando, al callar, una tuviera que arrancarse la lengua a mordiscos.¡Yo había jurado! Había jurado incluso por la vida de mi madre. Aquel que rompía un juramento, a ése le crecería la mano fuera de la tumba. Eso era seguro.

No sé si hoy eso todavía es válido, pero entonces era válido.

Ellos lo intentaron por las buenas y callé. Lo intentaron por las malas y callé. Me apretaron las tuercas y callé. Me llamaron obstinada y callé. Finalmente, me encerraron y yo seguía callando. Aunque apenas si podía seguir callando. No podía aguantar las suaves maneras de mi madre, tan poco como las miradas reprobatorias de mi padre.

Estaba encerrada en mi habitación. Oía las voces de los otros fuera, en la calle. Las voces eran de Hansi Pfeifer y Martina Thiemann. Oía cómo estaban debajo de la ventana abierta y se llamaban por sus nombres. Oía el golpe de las puertas al ser cerradas cuando se reunían fuera.

> "Nada puede ser más bello
> que en la calle, que en la calle.
> Mejor lluvia en la calle
> que en casa rayos de sol."

Eso ponía en un libro de lectura.

La primera poesía. La primera poesía que aprendimos de memoria. La primera poesía que jamás he olvidado.

Con esa poesía, yo había aprendido algo muy importante, algo que no podía contar a nadie, porque no se me ocurrían las palabras. Había aprendido que todo lo que estaba escrito era verdad. Porque a pesar de que esa poesía había sido escrita por un poeta extranjero, uno que ya estaba muerto, yo misma lo sentía así. Como si él me hubiera conocido.

Estaba sentada en cuclillas sobre mi cama, observando cómo una araña extendía su tela en el techo de la habitación. Me acerqué más a la pared. La observé detenidamente, pero no pude encontrar nada bello en ella. Extendí con cuidado la mano y, efectivamente, la araña se aproximó. Rápidamente, la retiré. Y de nuevo lo intenté. Y otra vez y otra, pero no lo conseguí.

Eso sucedió en la segunda tarde de mi encierro.

Mi madre llamó para cenar cuando había pasado el de las 18.37, mientras yo me proponía intentarlo de nuevo mañana.

❖

"¡Tú tienes que ser más rápida que la gata del sótano! ¡Ésa es la única posibilidad que tienes!", había dicho Rainer.

Y cuando nos despertamos, comprendí lo que había querido decir.

Tiraron sin más de la colcha. Habíamos dormido tan profundamente que al principìo no supe qué sucedía. Sólo noté la cegadora claridad y supe que era la voz de mi padre la que yo oía:

"¡Aquí está! ¡Aquí está! Maldita sea, ¿qué es lo que ha hecho con la niña?".

Y mamá exclamó: "¡Está medio desnudo! ¡Dios mío, medio desnudo junto a la niña!".

Y yo parpadeé. Y me senté en la cama. Estaba adormecida, quise coger la mano de Rainer y no lo conseguí. Él ya había saltado de la cama. Y oí a mi padre cómo vociferaba. "¡Sujétalo, Ingrid, quiere escaparse! ¡Sujétalo!".

De pronto, mi padre tenía el aspecto de una enorme gata de sótano. Mi padre se dispuso a saltar. Y desde el rabillo del ojo vi cómo Rainer dejaba que saltara en el vacío, cómo él se escurría entre sus piernas y después solamente oí cómo golpeaba la puerta de entrada al piso.

El interrogatorio no duró mucho. El interrogatorio tuvo lugar en la sala de estar. Me sentaron sola en el sofá verde con los apoyabrazos de madera.

Enfrente de mí, en los sillones, estaban sentados mi gatapadredelsótano, y al lado, en la silla, mi madrelabiosapretados. Y ambos estaban muy enfadados.

La vena en la sien de mi padre se hinchó cuando saltó de su sillón, me cogió de los hombros y me agitó, como si quisiera sacar de mí todas las palabras del mundo.

"¿Qué es lo que habéis hecho?", vociferó. "¿Qué ha hecho ese bastardo contigo? ¿Te ha tocado? ¡Habla de una vez!".

Y entonces mi madre dijo: "¡Déjame a mí!" Y se sentó junto a mí y me llamó gorrioncito, pasó el brazo alrededor de mis hombros y, con la otra mano, me giró la cabeza para que tuviera que mirarla.

"Ah, gorrioncito, tú puedes contarnos todo. ¡Somos tus padres! Si sabes donde se esconde Rainer, tienes que decírnoslo. Créeme, gorrioncito, eso es lo mejor para Rainer. Si tú quieres ser su amiga, entonces ayúdale y di dónde está".

"¡No lo sé, mamá!".

"¡Miente!", vociferó mi padre.

Mi madre le lanzó una mirada reprobadora.

"Gorrioncito, ¿qué te contó Rainer? De algo tenéis que haber hablado".

"Dijo que no era cierto eso de la caída de los rayos cuando se oye radio y que se podía dar la luz tranquilamente cuando hay tormenta".

"Él ha dicho que no es cierto lo de los rayos...", repitió como un eco mi padre y su voz se volvió peligrosamente suave. "Así que ese bastardo tiene la desfachatez de cuestionar lo que yo digo...".

"¡Domínate, por favor, Gisbert!", le interrumpió mi madre.

"¿Y qué más contó Rainer, gorrioncito?".

"Tenía hambre y comimos copos de avena con agua, azúcar y cacao y después nos quedamos sencillamente dormidos".

"¿Y no sucedió nada más que me quieras contar? Piensa un poco, gorrioncito. ¡Piénsalo bien!".

Me mordí el labio, pero mantuve su mirada. Miré a mi madre a los ojos sin pestañear. En definitiva, yo había jurado. Mamá caería muerta al instante si traicionaba algo y a mí me crecería la mano fuera de la tumba. Negué con la cabeza.

"Fue todo como he contado".

"¡Cuatro semanas sin salir!", gritó mi padre. "¡Y ahora, a la cama!".

"¡Buenas noches!", dijo mamá a mis espaldas. "¡Y no te olvides de rezar!".

Habían terminado el interrogatorio y ahora me enviaban, con las extrañas palabras de su lenguaje secreto, a mi oscura habitación. Pisé por encima de la tienda de la colcha, ahora aplastada y, por un momento, creí oler las galletas crujientes de Rainer.

¿Qué era un bastardo?

¿Por qué Rainer no podía tocarme?

"Dedos de hurgarse en la nariz", había dicho en una ocasión Michael Franke. "Ése tiene dedos de hurgarse en la nariz".

Y era cierto. No me había gustado agarrar su mano, esa mano como garras de pájaro con los sobresalientes nudillos sanguinolentos...

Pero me gustaba el olor a galletas crujientes. Y su sonrisa con la ranura entre los dientes. Y él había expulsado a la gata del sótano y me había revelado cómo se podían domar las arañas... Y, además, él era mi amigo. ¿O no?

De pronto, un pensamiento horrible me vino a la cabeza. Tuve que pensar ese pensamiento, aunque no quería y sentí calor y frío al hacerlo.

"¿Para qué", pensé, "para qué, en realidad, es bueno un amigo al que nadie soporta?".

Estaba en mi oscura habitación, en mi fría cama y me asusté de mí misma.

Pero tuve que seguir pensando y pensé: Cuatro semanas de castigo sin salir en medio del verano por un poquito de olor a galletas crujientes...

Cuatro semanas sin salir en medio del verano por tres pequeños secretos...Y te llaman ésa y salen corriendo cuando tú llegas y se alejan cuando te sientas junto a ellos... y nadie volverá a jugar contigo: Nada de "Pescador, pescador, ¿cuánto cubre el agua?" y tampoco nada de "Alemania le declara la guerra a Francia".

Y entonces pensé que yo no lo soportaría y menos por uno que tenía dedos de hurgarse en la nariz. Y cuya madre era una sinvergüenza, con aquellas cortinas y visitas de hombres hasta bien entrada la noche...

Y entonces me eché a llorar. Lloré sin parar, lloré hasta que ya no salían lágrimas. Y esa noche me olvidé por primera vez de rezar.

❖

En la tercera tarde de mi encierro, una pequeña mosca colgaba en la telaraña.

Tampoco esa mañana había ido Rainer a la escuela.

Martina Thiemann y Hansi Pfeifer habían ido cinco pasos delante de mí durante todo el camino hacia la escuela, pero no intenté alcanzarlos.

En el recreo, formaron un corrillo y hablaron en voz baja. Cuando pasé a su lado, escuché cómo Martina Thiemann decía:

"Le dan el alta el lunes. Pero lleva puesto un collarín...".

"¿Habláis de Michael Franke?", pregunté rápidamente. Los dos me dieron la espalda, siguieron susurrando e hicieron como si yo fuera aire.

Ser aire era mucho peor que ser ésa. Yo no podía hacer nada contra ser aire y esto me ponía furiosa. Eché la cabeza hacia atrás, salí del patio del colegio y me senté sobre el muro. Hoy conseguiría domar a la araña. ¡Totalmente seguro! Entonces la metería en la caja de cerillas vacía y se la pondría a Martina Thiemann en el banco a la mañana siguiente...

La pequeña mosca estaba ya envuelta en la telaraña. Probablemnte la araña se la habría comido de desayuno. Me preguntaba cómo comerían las arañas ya que las moscas en la telaraña tenían aspecto de estar intactas, intactas y sin heridas, incluso aunque hubieran sido envueltas en el hilado. Seguro que Rainer lo sabía, pero no se lo podía preguntar. Él, sencillamente, había desaparecido. Seguro que se encontraría, cobarde e inmóvil, en alguna parte muy cerca y se hacía invisible mientras todos lo buscaban.

La araña estaba en medio de la redecilla. Esperaba.

Me acerqué a ella todavía más que ayer y la miré fijamente. La araña me respondió mirándome fijamente, por lo menos así lo creí. Aunque los negros ojos de araña estaban vacíos e inmóviles y no delataban nada.

Si hubiera tenido mi cristal mágico, todo habría sido mucho más fácil. Pero ahora tenía junto a mí una simple caja de cerillas vacía.

De nuevo intenté encontrar bella a la araña, pero no la encontré bella. Tenía largas, delgadas patas, con aspecto de pestañas dobladas y su cuerpo era pequeño y redondo, como una cabeza de alfiler cristalina.

Con cuidado, acerqué mi mano. La araña se movió. ¡Tenía que conseguirlo! Aunque sólo fuera por Martina Thiemann. Mantuve la mano totalmente inmóvil. La araña se acercó. Y entonces, tan rápida que ya no tuve tiempo para retirarla instintivamente, corrió por el dorso de mi mano.

Moví algo mi mano y comprobé que la araña se había dejado caer. Se balanceaba, enrollada en el hilo plateado, sobre la caja de cerillas abierta. Y en ese momento cerré la caja.

Sentí un escalofrío recorriéndome la espalda, pero no de asco sino de orgullo. Verdaderamente, no había dolido, sólo había hecho cosquillas.

¡Y lo había conseguido! ¡Efectivamente, lo había aguantado!

Eso sucedió el tercer día de mi encierro y era jueves. Y fue el día en el que aprendí a domar arañas...

❖

A la mañana siguiente, salí de casa antes de lo acostumbrado.

"Voy a la colecta de dinero para el cacao", contesté cuando mi madre preguntó por qué.

Y cuando levantó las cejas, dije: "De verdad, mamá, me toca esta semana".

Fuera, el sol ascendía por encima de la torre de la iglesia. En el jardín delante de la casa, las flores del mediodía todavía tenían sus pétalos cerrados. El cielo era de un azul radiante, solamente había una fina capa de neblina por encima del río, que pronto se disiparía. Olía a hierba de verano y a rocío de la mañana y los vencejos chillaban en su vuelo bajo sobre el tejado del garaje del maestro Franke. En el terraplen de la estación, florecían los azules lupinos. En días como ése, por lo general, se nos daba vacaciones debido al calor. Era algo que podíamos oler ya por la mañana.

Había envuelto la caja de cerillas con la araña en una servilleta de color.

Enseguida pondría la caja en el sitio de Martina y después ya no tendría que seguir esperando mucho tiempo. Porque Martina Thiemann era, seguro, lo suficiente curiosa para abrir inmediatamente el regalo.

Ya oía su agudo chillido y eso me alegraba. Venía bien que los dos no fueran delante de mí. Hoy, yo había sido más rápida. Cada poco, me daba la vuelta y miraba, pero la calle seguía estando vacía.

El lechero Velten se encontraba delante de su lechería de azulejos blancos. Me saludó amablemente con la cabeza.

Cuando entré en el patio del colegio, el maestro Franke vino hacia mí.

"Bueno", dijo y se rió, "debes de haberte caído hoy de la cama. ¿Qué buscas aquí tan temprano? Ya sabes que todavía no puedo dejarte entrar".

No, no lo había sabido. Desconcertada, me balanceaba sobre una y otra pierna alternativamente.

"¡No pongas esa cara! El sol brilla, así que fuera se está mucho mejor".

Asentí y tragué saliva y después me armé de valor y pregunté:

"¿Cómo se encuentra Michael?".

El maestro Franke sonrió.

"Mejor, chica, mucho mejor. ¡Pronto le darán el alta! Podréis jugar de nuevo juntos".

Las lágrimas se dispararon en mis ojos. El maestro Franke me miró.

"Bueno, bueno", dijo y pasó su brazo por encima de mis hombros. "No llores, chica. Todos los niños tienen un ángel de la guarda, ¿no es cierto? ¡Y Michael tiene un ángel de la guarda especialmente bueno!".

Me soltó y se fue, con largos pasos, hacia la sala de profesores a través del patio.

Me senté sobre el muro y dejé que mis piernas se balancearan. En el recreo principal, cuando todos hubieran abandonado la clase, pondría la caja en el banco de Martina. Eso servía tan bien como lo otro. Sonreí y esperé a que Hansi Pfeifer y Martina Thiemann doblaran la esquina y también esperaba un poco por Rainer, aunque no creyera verdaderamente que volviera de nuevo a la escuela.

Si Michael Franke tenía un ángel especialmente bueno, entonces seguro que Rainer tenía uno especialmente malo. Quizá su propio ángel de la guarda no podría soportarle.

Mientras seguía pensando sobre el ángel de la guarda, vi a Hansi Pfeifer en el patio.

También Hansi me había visto y, de pronto, echó a correr hacia mí.

"¿Sabes ya lo que ha sucedido?", jadeó.

Negué con la cabeza.

"¿Qué ha sucedido?".

Se sentó junto a mí sobre el muro y respiró profundamente.

"¡El abuelo Thiemann ha muerto!", dijo. "Lo han encontrado esta mañana muerto en la cama. ¡Muerto de verdad! Martina llegará tarde".

Me asusté y, primero, tuve que pensar en la caja de cerillas que tenía en la cartera de la escuela; después pensé en el agujero de esquirla en la cabeza del abuelo Thiemann y en las historias que siempre se inventaba: En la historia de la madre que había asfixiado a su propio hijo en la casa de los horrores, en la historia de las ratas en la guerra de verdad. Se me puso carne de gallina.

"Mi madre ha dicho que se había quedado sencillamente dormido. Opinó que ésa habría sido una buena muerte", dijo Hansi. Miró hacia delante, balanceaba las piernas y meditaba.

"¿Crees que uno puede morirse sin darse cuenta?".

Me encogí de hombros. "Ni idea".

"Pero alguna cosa se notará cuando uno se muere. Por lo menos, habría que despertarse. Eso no vale: Sencillamente dormirse y no despertar ya nunca más".

"¿Por qué no?", pregunté.

Hansi Pfeifer me miró y, de pronto, tenía aspecto de estar desesperado.

"Porque...si verdaderamente es así... entonces yo ya nunca podré dormirme... Nunca más... ¿Entiendes?".

"Pero eso no lo aguantarás... ¡Nadie lo aguantaría".

"¡Pues de eso se trata!" , dijo Hansi.

Martina Thiemann no vino hasta la segunda hora. Tenía aspecto de haber llorado mucho y estaba muy pálida. Se sentó en su sitio y apoyó la cabeza sobre la mesa. Todos, de alguna manera, estábamos perplejos a su alrededor, ya que ninguno sabía qué decir.

Gracias a Dios ya había sonado el timbre.

Y el vicario Wittkamp fue puntual como siempre. Con una indicación de mano, nos señaló que nos levantáramos.

Después carraspeó y dijo: "Dios, el Señor, lo ha querido. Esta noche ha llamado a su reino eterno al abuelo de Martina, su siervo Johannes Thiemann. Vamos a rezar para que Dios, el Señor, se apiade de esa pobre alma".

Juntamos las manos y el vicario Wittkamp entonó el Padre Nuestro. De pronto, todo se volvió muy ceremonioso. Estábamos todos muy derechos y, esta vez, no cayó al suelo ningún lápiz mientras rezábamos. Miré de reojo hacia Martina Thiemann. Rezaba pálida y con los ojos cerrados y me sentía casi un poco envidiosa porque tenía un aspecto muy devoto.

❖

El entierro del abuelo Thiemann tuvo lugar el lunes a las dos y media de la tarde.

De nuevo, fue uno de esos calurosos días de verano. Auténtico tiempo de baño al aire libre.

Mi madre se había puesto el traje negro con los botones dorados y el sombrero negro de los entierros. A mí se me permitió ir con el nuevo vestido de verano de los domingos y con los calcetines blancos y los zapatos negros de charol. De alguna manera, le estaba agradecida al abuelo Thiemann, ya que me habían levantado la prohibición de salir de casa y ya desde el viernes nadie me había llamado ésa.

"En la vida, está muy mal organizado que junto a las rosas estén las espinas", ponía en mi álbum de poesía y, en realidad, a esa frase se le podría dar la vuelta: "En la vida, está muy bien organizado ya que las espinas están junto a las rosas". Porque así fue con el entierro del abuelo Thiemann.

El camino del cementerio estaba recién rastrillado y la pequeña campana de la capilla del cementario no dejaba de tocar.

Apreté fuertemente la mano de mi madre. Oí cómo llamaba una lechuza. Y tampoco eso parecía terminar y la frase de mi abuelo no se me iba de la cabeza: "¡Y siempre cuando llama una lechuza, alguien muere! Tenlo en cuenta, niña. ¡Y siempre cuando alguien muere, llama una lechuza!".

Yo no quería contar las llamadas de la lechuza.

En una ocasión, Hansi Pfeifer nos había leído en voz alta que cada segundo nace una persona, de la misma manera que cada segundo muere una. Yo no podía imaginármelo. Tampoco Michael Franke y Martina Thiemann. Sólo Rainer se había reído y había dicho: "El que habla de bueyes, sueña también con bueyes. ¡Ten cuidado, cuatroojos, que no seas tú el próximo!".

La grava del cementerio crujía bajo nuestros zapatos. Delante de la capilla, se encontraba un negro carro mortuorio con gruesos neumáticos de goma y una plateada rama de palma delante, sobre la hojalata.

Los otros también estaban delante de la capilla: La viuda Wehbold y el señor Pohling con el sombrero y la señorita Fantini y el señor y la señora Pfeifer y el maestrto Franke con su mujer. Y todos iban vestidos de negro y tenían un poco el aspecto como el de los mirlos, que, por las mañanas, buscan lombrices en la hierba humedecida por el rocío.

Y, de pronto, descubrí a Michael Franke. Vestía un pantalón azul oscuro y una camisa de manga corta de verano y, efectivamente, llevaba un collarín, como había dicho Martina. Solté a mi madre, me acerqué a él y extendí mi mano hacia él.

"¡Lo siento!", dije. "¿Quieres que seamos de nuevo amigos?".

"¿Sigues siendo su amiga?", preguntó Michael Franke.

Me mordí el labio y, de pronto, supe que tenía que decidirlo ahora: Seguir siendo ésa o participar. Olor a galleta crujiente o "Pescador, pescador, ¿cuánto cubre el agua?".

¿Para qué sirve un amigo, al que no se aguanta?, tuve que pensar de nuevo y después pensé: Quizá todos ellos tengan razón, el maestro Franke y mi padre y mi madre, y quizá no exista la gata del sótano y ninguna bruja y ningún demonio.

La pequeña campana de la muerte sonaba y sonaba.

Y entonces quise simplemente una cosa: Quería ser uno de ellos.

"¿Qué dices?", preguntó Michale Franke. "¿Sigues siendo todavía su amiga o qué?".

"¡No lo soy!" , dije y agité la cabeza.

Entonces, Michael Franke aceptó mi mano.

"Está bien. Si es así, ahora estás en mi equipo".

De pronto, Hansi Pfeifer estaba a nuestro lado.

"¿En qué equipo? ¿De qué habláis?", preguntó.

"Terminamos de hacer las paces", contestó Michael. "Ella dice que ya no es la amiga del comecocos".

En la capilla del cementerio, hacía fresco. Delante, al lado del ataúd del abuelo Thiemann, ardían gruesas velas y, alrededor del ataúd, habían colocado coronas de flores con lazos impresos:

"A nuestro querido, innolvidable padre, suegro y abuelo", leí. "Con profundo dolor, tus hijos".

"A nuestro camarada de guerra en eterno recuerdo", leí.

"Nos decimos adios", leí. "Tus amigos Gustav y Ewald".

Busqué nuestra corona. Se encontraba totalmente a la izquierda. "Descansa en paz", leí. "Tus vecinos".

La señorita Fantini comenzó a tocar el armonio y el vicario Wittkamp hizo su entrada en la capilla por una puerta lateral. Ahora llevaba puesta una casulla negra con una túnica rematada en blanco y, sobre sus hombros, una estola color lila. Gotas de sudor perlaban su frente.

Delante, en el primer banco, estaba sentada Martina Thiemann entre sus padres. La señora Thiemann también llevaba puesto un sombrero negro, como el de mi madre, sólo que sobre el sombrero iba un velo que le cubría la cara.

El vicario Wittkamp se colocó, dándonos la espalda, delante del ataúd y pronunció la bendición. Después tuvimos que rezar de nuevo el Padre Nuestro.

Y, seguidamente, se levantaron los portadores, con sus guantes blancos, cogieron el ataúd y lo sacaron de la capilla. Eran seis hombres con guantes blancos y la primera, detrás del ataúd, iba Martina Thiemann con sus padres.

Pasamos delante de muchas sepulturas y nadie hablaba una sola palabra. Sólo la pequeña campana repicaba a muerto y la lechuza llamaba y nuestros pasos crujían en la grava.

Bajaron el ataúd con el abuelo Thiemann a un hoyo abierto en la tierra y el vicario Wittkamp dijo: "Polvo eres y en polvo te convertirás".

Y también había un grupo con instrumentos de viento y tocó:

> "Yo tenía un camarada,
> entre todos el mejor.
> El tambor llamó al combate,
> él marchaba a mi lado,
> al mismo paso".

Y todos cantaron la canción y mi madre la que más fuerte y alto y me avergoncé un poco.

Cuando terminó el entierro, fuimos a tomar café. Martina Thiemann ya no estaba tan pálida. Incluso podía de nuevo reír disimuladamente.

Y, efectivamente, se sentó junto a mí.

"Y no olvides que ahora tú estás en mi equipo", me dijo Michael Franke.

Y Hansi Pfeifer dijo: "Entonces, mañana nos encontramos, bajo el viaducto. ¡Y sed puntuales!"

"¡Claro!" dijo Martina Thiemann. "¡Puntuales como siempre!".

Y fuimos puntuales. Y lo llamamos el dackel rastreador. Así era. Un aguafiestas. Un flojo. Un absoluto perro retorcido.

Siempre acercándose sigilosamente. Siempre olisqueando. Siempre queriendo participar en los juegos.

Eso, un dackel rastreador.

Y qué manos tenía. Totalmente ásperas y escabrosas, como las garras de un periquito. Con abultados y sanguinolentos nudillos y uñas mordidas.

Y se hurgaba en la nariz, allí por donde iba y estaba. Y se metía los cocos en la boca y se los comía. Le era totalmente indiferente si alguien lo estaba mirando

De pronto, apareció. Estaba delante de nosotros y removía la tierra con el pie. Tenía una gruesa piedra en la mano.

"¡Ven aquí, cuatroojos!", le dijo a Hansi Pfeifer. "¡Vamos a ver quién es el que va a dar con el morro contra el suelo!".

Hansi Pfeifer lo miró fijamente. Vi sus grandes ojos detrás de los gruesos cristales de las gafas.

Michael Franke quiso saltar, pero no era posible entre el arco del muro y la pendiente hacia la calle. Y el dackel rastreador seguía inmóvil, blanco en la cara como la cal, ojos negros de furia, los labios apretados fuertemente formando sólo una fina línea... Y levantó la mano con la piedra...

Y Martina Thiemann tuvo que reprimir la risa.

Fue un ataque de risa apagada, como más tarde nosotras, Martina Thiemann y yo, tendríamos con frecuencia en la iglesia: Una mirada hacia un lado y resoplábamos y casi que nos asfixiábamos en el sombrío silencio ceremonioso.

Los perros había dejado de ladrar. Ahora gemían. "Tiempo de comida", decía siempre mi padre. "Ya ves lo bien que lo tienen en la perrera".

Pero eso tampoco quería creérmelo.

El dackel rastreador comenzó a jadear.

"Por favor, no tires", susurré. "Por favor, Rainer, ¡no tires!".

Me miró largamente y cuando, una eternidad después, bajó el brazo, retrocedió dos pasos. Ahora se encontraba sobre el estrecho muro de contención. Bajo él, estaba la calle. A seis metros de profundidad.

"Traidora", jadeó y me miró directamente a los ojos. Y pensé ahora salta y pensé que no debía hacerlo porque yo le había dicho Rainer y él había sido mi amigo, mi primer amigo verdadero.

"Ahora eres de nuevo una más," jadeó. "¡Ya no eres ésa!" Y no dijo nada más.

Y dejó caer la piedra...

Caminó hasta el final del muro de contención, allí apartó, con sus manosgarras de pájaro, los cardos y desapareció detrás del arbusto de avellano.

Y yo seguía viendo su espalda y vi que tenía unos hombros muy estrechos y si no hubiera estado el muro detrás de mí, aquel áspero muro de piedra del viaducto, habría echado a correr y no habría regresado jamás. Jamás en la vida...

Biografía

Jutta Richter nació en 1.955 en Burgsteinfurt (Alemania), estudió teología católica, germanística y periodismo, publicando su primer libro cuando era todavía una escolar. Vive en el castillo de Westerwinkel y escribe no sólo novelas para adultos, adolescentes y niños, sino también obras para la radio, teatro, canciones y poesías.

❖

Ultimos títulos
publicados en esta colección